MY FIRST
ITALIAN
ANIMAL
BOOK

by Anna Young

 www.RaisingBilingualChildren.com

CANE

Dog

Il cane e' l' amico migliore
Che ti ama con tutto il cuore.
Gioca e dona tanto affetto
Quando e' con te, tutto e' perfetto.

FLAS

DELFINO

Dolphin

Il delfino e' un mammifero
Molto intelligente, davvero!
E' socievole, molto astuto
E salta per dare un saluto.

TARTARUGA

Turtle

Sulla terra o dentro l' acqua
Viaggia allungo e senza tregua.
Con la forte corazza si ferisce
E ha la coda e pinne lisce.

GRANCHIO

Crab

Il granchio ha un carapace
Tutto rosso e molto vivace.
Ha due chele, cammina di lato
Fra le alghe si e' riposato.

MAIALE

Pig

Quant'e' carino il maialino!
E' rosa, nero o marroncino.
Adora fare la passeggiata
Ha una coda molto arricciata.

GALLINA

Hen

La gallina e i suoi pulcini
Sono dei teneri uccellini.
Mangia molti semi ed insetti
Mentre il gallo canta sui tetti.

PAPPAGALLO

Parrot

Il pappagallo e' canterino
E il suo piumaggio e' carino:
Ha i colori dell' arcobaleno
o quelli di un cielo sereno.

ELEFANTE

Elephant

L' elefante corre ma non salta,
E la proboscide si risalta.
Ha delle orecchie molto grandi
Ascolta i suoni piu' profondi.

SCIMMIA

Monkey

La scimmietta mangia le banane
Giu per terra o su per le liane.
E' un vero atleta quando salta
tutto felice, dalla vetta piu' alta.

Topo

Mouse

Corre e mangia il topolino
La sua tana e' un bel buchino.
Di formaggio ne va matto
E gioca a nascondino col gatto.

COCCODRILLO

Crocodile

Lui vive in acqua per ore intere,
E stare al sole e' un suo piacere.
Gi occhi del coccodrillo sono attenti
Ha zampe corte ma grandi denti.

ORSO

Bear

L' orso e' un grande bestione
Ma e' anche un bel mangione.
Quando vede il miele dorato
Dalle api e' avvistato.

MUCCA

Cow

Dal primo mattino va a vagare,
Perche' le piace pascolare.
Il suo latte e' abbondante
Grazie al fieno, erba e piante.

Oca

Goose

Nelle fattorie e' ben accolta
Ma alcune vanno alla raccolta:
Quando il freddo e' alle porte
L' oca migra verso nuove soste.

LEONE

Lion

Il re degli animali, il leone,
Puo' mangiare in un solo boccone.
Il suo ruggito e' il piu' maestoso
E con il branco e' generoso.

Coccinella

Ladybug

La coccinella ha un vestitino
Tutto rosso, con qualche puntino.
Come lei non c'e' ne alcuna
Perche' porta tanta fortuna!

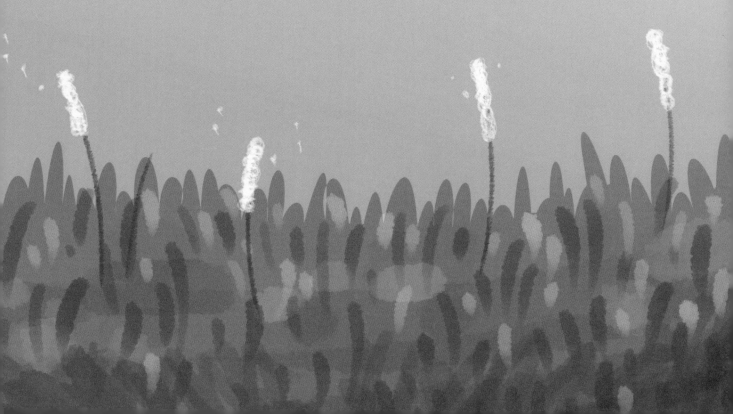

CONIGLIO

Rabbit

L' olfatto del coniglio pista l' odore
Di ogni pericolo o predatore.
Nella corsa, lui e' il migliore
E con le orecchie sente ogni rumore.

Ape

Bee

Il suo polline e' assai vitale
Per tutto il regno animale.
Il lavoro dell' ape e' insaporito
Quando il miele viene servito.

FARFALLA

Butterfly

Le grandi ali dell' insetto
Hanno colori dal grande effetto.
Quando la farfalla balla col vento
Il suo cuore e' tutto contento.

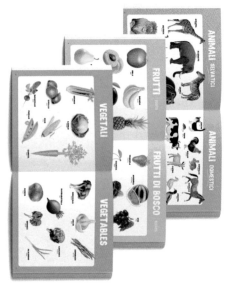
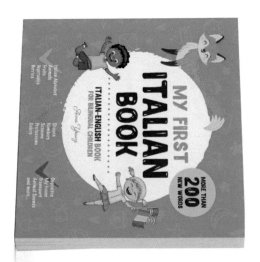

Made in the USA
Middletown, DE
02 August 2022